Garfield
food for thought

BY: JIM DAVIS

原著：**吉姆・戴維斯**
翻譯：**張定綺**

加菲貓雙語系列 **2**

異想天開的
加菲貓

加菲貓雙語系列②

異想天開的加菲貓
GARFIELD FOOD FOR THOUGHT

1991年元月5日出版
作　者＝吉姆・戴維斯
　　　　（Jim Davis）
翻　譯＝張定綺
發行人＝林桂蘭
出　版＝加菲貓雜誌社

　　　　台北市水源路127號10F -3
　　　　電話・(02) 368-5245・368-9240
　　　　FAX・(02) 366-1388
　　　　劃撥・1430004-8
　　　　局版台誌第8119號
印　刷＝啟示製版有限公司
裝　訂＝台一裝訂行
定　價＝150元
發　行＝雙大出版圖書公司

ISBN 957-618-059-7

看看把椅子搞成什麼樣子，加菲貓
！你太肥了。

我才沒有太肥。只不過現在的椅子
做得沒以前好。

現在的門也做得沒以前好。

加菲貓，你要不是眼睛比肚子大，
也不會長得這麼胖。
Eyes larger than the stomach: 看見的
都想吃進肚裡，眼高手低。

那不過是個比方罷了！

加菲貓，我要開始給你節食。
....
哇！

我知道你恨節食。如果你還有其他
減輕體重的方法，我願意聽聽看。

切掉一部分肢體！

啊，對注重身材的人而言，沒有比
一片新鮮生菜葉更提神醒腦的了。

多謝你這頓美味的節食午餐，老姜。

你要去哪兒？
....
我現在要去死。

HERE'S AN INTERESTING BIT OF DIET TRIVIA

有件跟節食有關的趣味小知識。
TRIVIA (n.) 趣味問答題。

A PIE CUT INTO TINY SLICES HAS FEWER CALORIES THAN AN ENTIRE PIE

一個派切成小片後，卡路里會比一整個派少。

ZIP

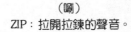

（唰）
ZIP：拉開拉鍊的聲音。

看啊，加菲貓，城裡要舉行嘉年華
會！咱們去吧。
………………………………………
太棒了。

你知道我最喜歡嘉年華會哪一點？
………………………………………
知識的啓發？

（嘉年華會）

我愛看雜耍表演。
………………………………………
呢，老姜。
SIDESHOW：(n.)附帶的節目。

什麼超級肥婆啦！橡皮人啦！恐龍
人啦！
………………………………………
老姜！

（門票：每人一元）　把錢省下吧。

喝咖啡前。

喝咖啡後。

咖啡如何？
....
淡了一點兒。

好了，挑剔的美食家，你的晚飯來了。

吃啥？

清蒸干貝配比利時進口的菊苣和法國進口的松露蕈。

又吃這玩意兒？！

嚐嚐我調的檸檬水，加菲貓。

要加糖？

要加糖。

9

這種新上市的汽水很棒。

裡面沒有糖，沒有咖啡因。

也沒有味道。
—FREE:(字尾)取消某種原有的成份。

加菲貓！

呼，我希望你知道自己有多蠢，這只是賣熱狗的車子，不是眞的熱狗。
....
我眞是自覺有點蠢。

又怎麼了？

現在該吃甜點了。

呼

喂！

在這一帶打盹兒是本貓的專利。

你吃晚飯遲到了，加菲貓。

我想你一定有個好藉口。

我早晨打的那個盹兒有點兒失控。
RAGE：*(v.)* 蔓延，激烈的進行。

差勁。

我最討厭碰到這種事。

白日失眠症。

我趴在網球拍上睡著，可以吧？!
哦。

地上一定有好幾百萬隻螞蟻。

不知道男螞蟻和女螞蟻怎麼區分。

我看螞蟻自己沒有這方面的問題。
（否則不會有這麼多螞蟻。）

喂，小蟲，你真醜。

你真會爬。
CREEPY: *(adj)* 爬行的；令人毛骨悚然的；鬼鬼祟祟的。

你成了歷史。　　　（吱）

14

吃我。

FROND：(n.)羊齒類植物之複葉(但此字與FRIEND諧音)

我不能吃你，你是老姜最心愛的羊齒草。
⋯⋯⋯⋯⋯⋯⋯⋯⋯⋯⋯⋯⋯⋯⋯⋯⋯⋯
羊齒葉是作什麼用的嘛。

我可能會惹上麻煩。
⋯⋯⋯⋯⋯⋯⋯⋯⋯⋯⋯⋯⋯⋯⋯⋯⋯⋯
咬呀，來嘛！嚐一口嘛。你會喜歡的。

（嚼）（嚼）（咔嚓）（咕嘟）

加菲貓！你在幹什麼？！
⋯⋯⋯⋯⋯⋯⋯⋯⋯⋯⋯⋯⋯⋯⋯⋯⋯⋯
不過想令每個人都滿意罷了。
⋯⋯⋯⋯⋯⋯⋯⋯⋯⋯⋯⋯⋯⋯⋯⋯⋯⋯
謝謝你。

GEE, JON'S PANCAKES SURE LOOK GOOD

JIM DAVIS 8-26

呀，老姜那盤煎餅看起來好好吃呀。

I'D LOVE TO TAKE THEM FROM HIM, BUT I'M NOT THAT KIND OF GUY

© 1985 United Feature Syndicate, Inc.

真想從他的手中搶過來，但我不是那種人。

BUT THE CAPED AVENGER IS!

不過，披風復仇客會幹這種事！

THE LONE RANGER HAS TONTO, THE GREEN HORNET HAS KATO, AND BATMAN HAS ROBIN. THE CAPED AVENGER NEEDS A SIDEKICK TOO

8-27 JIM DAVIS

獨行俠有好友湯多為伴。青蜂俠有加藤幫忙。蝙蝠俠的助手名叫羅賓。所以本披風復仇客也需要一個跟班的。
SIDEKICK：(n.) 夥伴，助手。

© 1985 United Feature Syndicate, Inc.

THEN AGAIN, I MAY GO THIS A CAPPELLA

再想想，我不如唱獨脚戲比較好。
A CAPPELLA：[義大利文・音樂名詞]
不用樂器伴奏的清唱。

作為披風復仇客的新助手，你需要一個響亮的別名。我該給你取個什麼名字呢？

（唆嚕）

來吧，梭魯。

梭魯，作為披風復仇客的助手，你需要化妝改扮一下。

你沒搞清楚我的意思。

好了，梭魯，去找一套適合披風復
仇客的助手穿著的服飾來。

第一號規則，不許穿得比主角更拉
風。（啪啪啪）

助手梭魯來也！

（砰！）

喂，梭魯，恐怕你該在面罩上剪兩
個眼洞吧。

呼

RATS! I'M HUNGRY. I ALWAYS WAKE UP IN THE MIDDLE OF THE NIGHT HUNGRY. OH WELL, LET'S LOOK AROUND

差勁！我餓了！我總是半夜餓醒過來。好吧，找找看有啥可吃的。

HELLO, WHAT'S THIS? IT FEELS LIKE A BIG OLD LOAF OF PUMPERNICKEL

哈囉，這是啥？好像是一大塊全麥麵包。

YIP!

SORRY ABOUT THAT, ODIE

汪！

抱歉，歐弟。

ALL RIGHT! OLIVES! I LOVE OLIVES! I LIKE TO SUCK THE PIMENTOS OUT FIRST AND THEN NIBBLE ON THE GREEN PART TILL IT'S GONE

好呀！橄欖！我最愛吃橄欖！我要先吃夾心，然後慢慢嚼外面的橄欖肉。

SHUP

（哇！）

I ASSUME THERE'S A LOGICAL EXPLANATION FOR THIS

CLICK

I'M SO EMBARRASSED

JIM DAVIS

我相信這該有個合理的解釋。

（咔嗒！）　我太不好意思了。

SLURP, OUR MISSION IN LIFE IS TO SEEK OUT EVIL WHEREVER IT MAY LURK

梭魯，我們畢生的任務就是消滅邪惡，不論它藏身何處。

LOOK!

看啊！

I'LL BET THERE'S SOME LEFTOVER EVIL IN THAT REFRIGERATOR

我打賭冰箱裡一定有些邪惡的剩菜。

現在我有助手了，我大可四處惹事，他會來救我脫困。

喂，大狗，你媽專門追垃圾車。

（啪）

你是什麼意思？你現在要辭職!?

披風復仇客看見有門擋路，必須破門而入。

梭魯，解決這扇門！

我最喜歡助手了。一切頭痛差事有他們代勞。

來吧．梭魯．咱們要爲眞理和正義
而戰。

看啊．大狗在欺負小狗！太不正義
了！我們別無選擇。
（砰！）

我們今天只爲眞理而戰好了。

哦．糟了．我的毯子不見了！今天
我怎麼扮披風復仇客呢？

或許老姜有東西可以代用。

我總覺得「變形蟲圍巾復仇客」好像
成不了大器。
CUT IT[俚語]成功。

看那些可憐的動物都被關在籠子裡。這一看就知道 …

自由鬥士要出馬了！

你自由了！你自由了！

自由的去吧！

嗯，這年頭顯然大家對自由都不怎麼熱衷。

你安全了！你安全了！（砰！）

LET'S GO TO A MOVIE TONIGHT. HERE'S ONE ABOUT KIDS AT A DAY-CARE CENTER WHO SAVE THE WORLD

IT'S BEEN DONE

咱們今晚去看電影吧。這兒有部電影演一個托兒所的小孩救了全世界。
....
不新鮮了。

HOW ABOUT "NINJA GRANDMOTHER"?

YOU'RE GETTING WARMER

「忍者奶奶」如何？
....
有點意思了。

HERE IT IS! "THE ANGRY MAUVE PLANET"

SOUNDS LIKE A CONTEMPORARY REMAKE

有了！「憤怒的紫色星球」。
....
聽起來像蠻有現代感的舊片重拍。

WELL, GUYS, THERE'S ONE THING WE NEED BEFORE WE GO INTO THE MOVIE

SNACKS!

嗯，夥計們，進電影院之前還需要辦一件事。
....
買零食！

I'D LIKE THE BANANA-FLAVORED TOOTH BUSTERS, THE FLAMING MOUTH THINGS, THE TRIPLE-BUTTERED NUT CLUSTERS AND THREE PUMPKIN FIZZ SODAS

NOW SHOWING

我要香蕉口味的蛀牙糖，還有那種辣嘴的玩意兒，還有加三份奶油的核桃糖，還要三客南瓜汽水。
[註]：本則漫畫諷刺現代零食不但種類繁多，千奇百怪，而且價格貴。

THAT WILL BE $89.50

UH, HOW ABOUT JUST SOME POPCORN

WITH THE BARBECUE SAUCE

一共是八十九塊五毛。
....
呃，那我只要玉米花算了。
....
要加烤肉醬。

24

我或許不該問，可是歐弟哪兒弄來
的泡泡糖？

別問，也別看椅子底下。
（啪！）

別鬧了！

（玉米花）

你去哪兒？電影還沒演完呢。

玉米花吃完，電影就算演完了。

我們爲什麼要浪費一個晚上看電影？

爲什麼攝影這麼差勁？

爲什麼他們在門口交給我三副看立體電影用的眼鏡。

今天是超級市場折價券三倍優待的
日子，購物者一早就排在門口熱切
的等待。

可以通行了！
GREEN FLAG, BLACK FLAG, GROOVE
(賽車跑道)等，均為賽車術語。

人潮遭到巴茲姊妹擋住去路，鮑黛
西却別走蹊徑，從內側繞道硬擠過
去。

不幸鮑黛西的購物車爆胎，攔腰撞
上柯羅老太太！

我們第一槍到減價品！

你有折價券嗎？

我忘了帶。

差勁！最後一圈犯規出局！

替我去看看信好嗎，加菲貓？

（啪！）

有我的信嗎？
只有一個航空來的包裹。

怎麼，又來了，嗯？我以為經過上次的教訓，你已經學乖了。

這次要你死！

吼。

28

有壞消息，加菲貓。你最愛吃的貓食已經吃光了。
⋯⋯⋯⋯⋯⋯⋯⋯⋯
我活得下去。

歐弟把你搔癢柱子啃壞了。
⋯⋯⋯⋯⋯⋯⋯⋯⋯
沒啥了不起。

連續劇中，法蘭克拋棄瑪莎去追史蒂芬妮了。
⋯⋯⋯⋯⋯⋯⋯⋯⋯
他怎可如此？

家裡有隻老鼠，你打算怎麼辦？

放輕鬆點，老姜。一隻小老鼠能吃掉你多少東西。

咱們談談好嗎？
⋯⋯⋯⋯⋯⋯⋯⋯⋯
嗯哼！

WELL, GUYS, IT'S TIME FOR THE LATE NIGHT FRIGHT MOVIE

好了，夥計們，該看深夜恐怖長片了。

REMEMBER, ODIE, IT'S YOUR TURN THIS WEEK

記住，歐弟，這個星期輪到你。

TELL US WHEN WE CAN LOOK AGAIN

你負責告訴我們什麼時候可以再張開眼睛。

9-21

（啪！）

PLOP

left-handed, left-footed 都有「不自然的；笨拙的」之意，說人長兩隻左手或兩條左腿意義亦同。但對天生兩條左腿的加菲貓而言，却是無法改變的事實。

WHAT'S THE MATTER, GARFIELD? YOU GOT TWO LEFT FEET?

THE TRUTH HURTS

怎麼回事，加菲貓，長了兩條左腿嗎？
....
說真話最傷人。

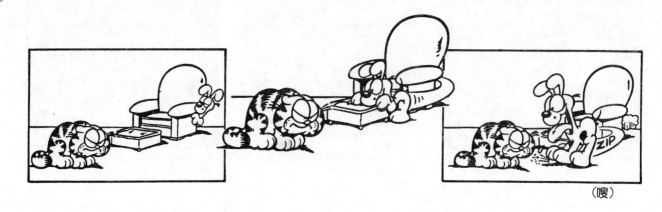

（嗖）

（噴！）

我討厭在長得很高的野草中行走。

我會沾得滿身小蟲和草刺。

還有牙齒尖利的小狗。

吼（咔嚓！）

（啪！）（啪！）（啪！）（啪！）

靜電真是奇妙。

喂，歐弟。

幫個忙，好嗎？

謝了。

（嘩啦！）

不出我所料，只有一對眼珠子和一個蝴蝶結。

喂，小狗，洒點胡椒粉給尾巴調個味如何？

（哈啾！）

祝你健康。

隨身帶根棍子，會給人大權在握的感覺。

替我做晚飯！快去剪頭髮！把那些髒東西整理一下！

（戳）

去做運動！自己舖床！快減肥！

棍子越大，權力越大，是嗎？哼，你有來我就有往。

嗯哼！打電話給你媽。喘，喘，過馬路要先看⋯⋯

（嘩啦！）

我的權力太大，該分派一些給人才對。

哇，看那根棍子！這可不是普通的棍子。它是根特別的幸運棍。

靠想像力運作的幸運棍。

這是唯一不靠電池幫忙的玩具。

喂，歐弟，你的幸運棍在哪兒？

（從天而降）

人人都需要幸運棍。
［註］：鋼琴不會掉在有幸運棍的人頭上。

喂，老姜，我的幸運棍叫你起來替我弄早飯！
（啪啪啪啪啪）

幸運棍是個忠實的朋友。

只要我手裡有幸運棍，狗就傷害不了我。

當然，有時我得帶著它快點跑。

你不會相信有這種事。

你可曾看見過棍子把狗銜回來？

只要我手裡有幸運棍，什麼也傷不了我。

（啪！）

這年頭的幸運棍都不及以前做得好了。

我現在要睡個午覺，奴奴。要是你敢碰我的食物，我就揍扁你，聽懂了沒有？

（砰砰砰）

你是誰？

你不記得了嗎？我是奴奴，幾年前你企圖餓死我。

我回來報答你過去的虐待。
（砰！砰！）（噗！）

來吧，小朋友。吃吧，吃吧！

我一定是在做夢。

加菲貓，你把一生的光陰都睡掉了。

全世界正在等著你去享用呢。

好的很。叫他們把它送到我牀上來。

哇，無聊無聊眞無聊。除了像塊煎餅一般躺著我眞沒有別的事可做。

一塊又大又厚的煎餅，塗滿牛油和楓糖漿。

哇，我好餓喲。

老姜，有件事我覺得該告訴你，因爲你早晚會發現的。

你知道歐弟口水滴得多厲害？

我不得不用沙包堵住他的舌頭。

世界上有各式各樣的擁抱…

但沒有一種擁抱及得上擁抱玩具熊。
Bear hug：熊抱（熊獵食時以前腿緊抱獵物將之勒斃。引伸為摔角的一招，亦可謂熱烈的擁抱。）

（啪噠）

我最討厭杯墊粘在杯底，然後又掉在桌面上。

加菲貓，我有話要跟你說。
[註]：老姜口齒不清，他說的其實是"Garfield, could I have a word with you."

加菲貓，你電視看太多了。
....
也許吧。

你該把時間花在比呆瞪著螢光幕看
更好的事情上。
....
那是當然。

全世界都在等著你去體驗。
....
我想也是如此。

呃，你應該…呃，你該，呃。

那個人化妝成駱馬幹什麼？
....
我也不知道。
LLAMA: (n.)駱馬（南美洲出產之長
毛動物）

咱們看的是什麼節目
....
趣味賓果問答。

43

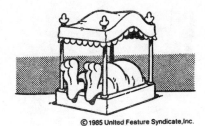

驚喜，我買了張有頂蓋的牀給你！
好棒呀！

我覺得好娘娘腔。

呵欠。

怎麼!?

這種有頂蓋的牀得花一段時間才能
適應。

新淋令你不好意思嗎，加菲貓？

你怎麼會這麼想？

老姜終於買了一張有格調的淋給我。

但它不合我的格調，我有我的自尊。

而所謂自尊，當然也就是中產階級對格調的代用品。

（咔嗒）

你到底想幹什麼？

我有種強烈的衝動要清點一下存貨。

騙子。

我知道它在這兒。我感覺得到它的存在。

無路可逃。

一旦被它逮到你就完蛋了！

快逃啊，加菲貓！

它又來了！

你甭想不費吹灰之力就制服我！

哇！

又一個突如其來的睏倦感之下的犧牲者。

呼

NAP ATTACK: 突如其來的睡意(在此被加菲貓視爲一個企圖控制他的惡魔)。

哈囉，我是奴奴，全世界最可愛的
小貓咪。
....
滾開，奴奴。

我正在睡美容覺。

美容覺？得花好幾個星期才會見效
呢！
....
我恨他。

48

這下我真想不透奴奴在幹什麼了。

我的水盆裡有條沙魚！

哦。

跳到枕頭上來，奴奴。

（啪！）

你是故意的，對不對？

我做每件事都是故意的。
ON PURPOSE：故意；有一個目標。

你何苦玩那個小得不成樣子的線球，奴奴，我把我專用的線球拿給你好了。

真好啊！

或許加菲貓畢竟還是喜歡我的。

回答我一個問題……

為什麼當人家說一個成年人「心智像小孩」時，就把他關起來？

但是却容許真正的小孩自由自在的在街上亂跑？

哈，哈，歐弟坐在安樂椅前面，咱
們找點樂子怎麼樣？
RECLINER：又稱Lazy boy，是一種
可調整椅背斜度及腳墊的躺椅。

看著。

（砰！）（啪！）

我真不想吹牛，但得靠靈光的腦袋
才想得出這一招。

（啪！）

KLANG!

（哐噹！）

OKAY! OKAY! YOU DIDN'T HAVE TO SHOUT

JIM DAVIS

10-28

好啦！好啦！不必這麼大事聲張嘛！

LET ME TELL YOU ABOUT MY MONDAY. MONDAY WAS GOING GREAT. I THOUGHT IT WAS GOING TO BE THE FIRST MONDAY OF MY LIFE THAT DIDN'T STINK

聽我告訴你我上個星期一怎麼過的。一切都很好。我以為這會是我有生以來第一個不出紕漏的星期一。
STINK：(adj.) 可恨的。

I GOT UP IN THE MIDDLE OF THE NIGHT AND ATE SOME JAWBREAKERS

我半夜醒來，吃了一些磨牙的東西。
JAWBREAKER:(n.) 使下顎酸痛的東西，如既難唸又長的拼音字，或硬糖果等。

THEN I WOKE UP THIS MORNING AND MY MARBLE COLLECTION WAS MISSING!

今天我醒來，發現我收集的彈珠全不見了。

52

HEY, GARFIELD! I JUST BOUGHT A SWISS ARMY KNIFE. IT DOES ABOUT A MILLION THINGS!

SURE

JIM DAVIS 10-30

喂，加菲貓，我剛買了一把瑞士陸軍刀它有上百萬種功能！
....
是囉。

I'VE SEEN THOSE KNIVES BEFORE. THEY'RE ABOUT AS USELESS AS...

© 1985 United Feature Syndicate, Inc.

我看過這種東西，它沒什麼用，簡直就像……

FOOMP!

THAT'S A NEW ONE ON ME

這倒是新鮮的！（嗖）

JON, I HAVE DECIDED MY LIVING AREA IS A MITE DRAB

JIM DAVIS 10-31

老姜，我剛想通，我住的地方簡直是個虱子窩。

I HAVE SOME PLANS TO SPIFF IT UP A BIT

© 1985 United Feature Syndicate, Inc.

我計畫把它重新裝潢一下。
SPIFF: (v.) 便變得整潔，美觀。

WHAT? NO SERVANT'S QUARTERS?

WHY, OF COURSE, SILLY! RIGHT OVER THERE BEHIND THE POOL

怎麼？沒有佣人房嗎？
....
怎麼會沒有，你真呆！不就在游泳池後面嗎？

53

唉，但願電視畫面能收得更清楚一點兒。
....
（呼）

好多了。

（呼）

加菲貓，你靠討食物是弄不到東西吃的。

你亂發脾氣也一樣弄不到東西吃的。
....
哇！
THROW A TANTRUM: 無理的大哭大鬧。

現在你就快要達到目的了。

你們之中很多人可能都發現，早晨起牀時，體重會比睡前減輕個一兩磅。

那些體重究竟哪兒去了呢？

我在此就要告訴各位，我們四周的空氣中充滿了睡眠者身上散出的肥油！

更進一步說，有發出者就有接收者。我們胖子只要呼吸空氣就會發胖。

現在，我們當然不能能停止呼吸…

所以你們瘦子何不幫咱們胖子一個忙…別再睡覺了！

（砰！） 哎喲！

（啪！） 你這棵笨蘋果樹！

我必須學著控制我的脾氣才行。
（噹）
CURB：(v.)壓制。

我媽的信寫得棒透了，加菲貓。你聽這一段…

［註］：幾乎美國所有的暢銷小說都改拍成電影。加菲貓是說，如果老姜母親的信真的精采，就會被改拍成電影，他不想預知內容和結果，免得看電影不過癮。

別掃我的興，老姜。我正等著電影上演呢。

加菲貓，我知道你躲在附近。來啦，咱們看獸醫去。

（轟！）

啊哈！
我恨秋季。

（咕嘟！）

你咖啡喝太多了，加菲貓。
噢，是嗎？哼，你跟我的瞌睡蟲去說吧。

或許老姜說得對…

加菲貓，你生得一爐好火。

我的確生得一爐好火。

唔，我得準備約會去了，你好好享受這一爐好火吧。

我會享受這爐好火的。

嘿！我的領花都到哪兒去了？

它們生得一爐好火。

大多數養貓的人都從貓身上學會了優雅、格調和美好的儀態。

大多數養貓的人都常識豐富，敏感而睿智。

但這兒位這位落伍的超級小丑却不知道現在是什麼世紀。

BOZO：[俚語]頭腦簡單之人

NERD：[俚語]笨拙遲鈍，受人輕視之人

58

吃早飯囉，加菲貓！

我的天，我好疲倦，四肢像鉛一般
沈重，今天早晨要起牀可眞不容易。

來啊，加菲貓！你起得來的！嗯哼
！你辦得到的孩子！

我成功了！我起來了！

差勁！我不過是做夢已經起牀了。

吃早飯了，加菲貓！
這頓飯最好美味得值得我爲它起兩
次床。

唉，好吧，加菲貓，讓你吃一口我的通心麵。

（轉，轉，轉）

我顯然低估了這隻貓。

艦長！艦長！前方不遠有個黑洞！
[註]：加菲貓設想手中那塊派是一名太空船的船員，黑洞則是他自己的大嘴。

我們不能調頭了！重力過於強大！哎喲！

它們剛去了一個沒有人到過的地方。

你要哪一樣，加菲貓？千層麵還是香蕉？

要香蕉嗎？

我們著重的是娛樂價值。

我發現一種你不可能拿它當玩具的食物，加菲貓。那就是蕃茄湯。

（噗通）
［註］：加菲貓假裝自己是蘇打餅乾，「假裝」是他主要的遊戲方式。

我這輩子永遠都不可能了解貓是怎麼回事。

貓？什麼是貓？咱們蘇打餅乾對貓才一無所知呢。

GARFIELD, THE WORLD FAMOUS TOMATO SOUP DIVER, SCOURS THE MURKY DEPTHS IN SEARCH OF THE ELUSIVE TOMATO GUPPY

JIM DAVIS — 11-15

© 1985 United Feature Syndicate, Inc.

全世界最著名的蕃茄潛水高手加菲貓，潛入濃濁一片的碗底，找尋罕見的蕃茄格皮魚。

QUICK! GIMME THAT CAMERA!

快！照相機給我！
GUPPY：(n.)一種産於西印度群島的胎生小魚。

FOR THE FIRST TIME IN HISTORY THE SPAWNING HABITS OF THE TOMATO GUPPY ARE CAPTURED ON FILM

CLICK

有史以來第一次蕃茄格皮魚的繁殖情形被記錄在膠片上。

WEALTHY PHILANTHROPIST, J. WORTHINGTON III WAS FOUND FACE DOWN IN HIS TOMATO SOUP

JIM DAVIS

© 1985 United Feature Syndicate, Inc.

有錢的慈善家J‧烏心頓三世被人發現臉朝下趴在他的蕃茄湯裡。

WAS IT NATURAL CAUSES?

這是自然發生的？

GARFIELD! OR WAS IT BECAUSE HE WAS ABOUT TO WRITE J. WORTHINGTON IV OUT OF HIS WILL?

11-16

加菲貓！
或是因為他正要把J‧烏心頓四世剔除在遺囑受益人之外？

不知魚類有沒有味覺。

我最討厭陪老姜釣魚。這時他就會信口開河胡言亂語。

水上的波紋去向何方？

如果人類全身長滿毛，還需要穿衣服嗎？

電燈泡爲什麼會燒壞？

我是否令你厭煩，加菲貓？

哈囉，我是會說話的磅秤RX-2，站上來我就會報出你的體重。

下去！下去！下去！下去！

呼！謝謝你！
....
自作聰明的傢伙。

我的體重如何，RX-2？

你記得你上周減輕了兩磅嗎？
....
是啊。

現在它們帶著增援部隊回來了。

64

你又胖了，加菲貓。
....
不知道它怎麼認得出我？

我最喜歡的會說話的磅秤近來好嗎
？你準備秤我的體重了嗎？

呃，我有個建議。
....
怎麼樣？

我們一次秤一部分，我替你把總重
量算出來如何？
....
眞好笑！

你體重一百七十五磅，身高六呎。

你怎麼知道我的身高呢？
我正在從事多方面的發展。
DIVERSIFY: (V.) 分散投資以降低風險。

你的體重跟昨天一樣，先生，祝你
今天愉快。

會説話的磅秤！不知下一步還會有
什麼新花樣？

他真是個肥仔！
還用你來告訴我？

怎麼樣，加菲貓，我看來如何？

你不喜歡，是嗎？

或許我該換條領帶，換件長褲，換
…

現在你覺得如何？

太好了！待會兒見。

不能自己作決定的人，活該把自己
打扮得像小丑。

星期一真是太…太…太…

我想用的究竟是哪個字眼？

（可怕）

養貓有一大好處…
（嗅）

但我不知道是什麼。
（嘩啦！）

68

好吧，會說話的磅秤，我體動多少？

我先問一個私人的問題，你不介意吧？
....
問吧。

你們究竟有幾個人？

加菲貓，看你吃東西好像食物是樹上長出來的似的。
....
拿我當小孩騙？我知道食物是仙人晚上送來的。

萬一食物沒有了呢？
....
我無法忍受。

我會想念「吃」的快感。

哦，對不起，我不知道郵差已經落入你手中了。

⋯⋯⋯⋯⋯⋯⋯⋯⋯⋯⋯⋯⋯⋯⋯⋯

沒關係。

我知道我還沒回妳信，媽。對不起。是的，我一有空就回家看妳，好吧？

我覺得自己好可恥！
HEEL：[俚語] (n.) 令人輕視的人。
TRIP：(n.) 心理上的經驗。

老姜經常落入自責的深淵，他可以買月票了。

FREQUENT FLYER PLAN: 航空公司提供給老主顧的優惠計畫。

各位女士，各位先生，神犬歐弟現在要跳進這杯水裡。

當然，他需要一些小鼓勵。

去吧，歐弟，我會使你成為大明星！

去呀！放手！放手！

（啪嗒！）（噗通！）

飼養寵物會使你每一刻的生活都充滿刺激。
....
吼！

太好了！寄來了！

有人心裡就是藏不住話…

像我就把我的想法穿在肚皮上。
（我恨狗）

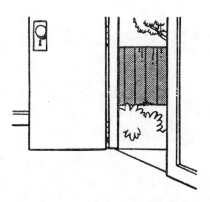

（我恨狗）

天啊…我以為狗都是不識字的。

71

少來這一套，歐弟！

我舔你，你喜歡嗎？

我忽然想到，有一天我還得把這根舌頭放回自己的嘴巴裡。

喂，老兄，我是浴室用的磅秤。
又怎麼樣？

我不是用來秤牲口的。

都怪我那多嘴的發聲晶片。

歐弟一定從這面牆上看出了什麼我
看不到的東西。

我不能相信我會上這種當。

這頓午餐吃得真過癮。哇！我好撐啊！

看看我肚皮多大！

哦，是嗎？看看我的吧！

我比你肥。

再來比比看！

你們兩個真噁心！

難怪咱們都還單身，對吧，加菲貓？

嗝。

嗝。

嗝。

別理他們，美麗莎。男人最討厭了。

為什麼拉長了臉，加菲貓？
……………………………………
我也不知道。

你是否因爲覺得自己又懶又擁腫而心裡難過？

爲什麼朋友都要把快樂建築在一語道破你不快樂的原因上呢？

你看來有點兒沮喪，加菲貓。
……………………………………
說對了。

記住，當你仰天而臥時，你只能往上看。
……………………………………
謝了，老姜，我不再沮喪了。

現在我想自殺。

我有些睿智的話幫你突破憂鬱，老朋友。

他又要跟我打啞謎了。

甚至不走的鐘，每天也有兩次準時的機會。

噢，太棒了…我會整晚睡不著，希望弄懂他的話。

我知道你問題出在哪兒，加菲貓。你不願意面對人生，因爲你怕失敗。

這只證明老姜對人類的天性頗有了解。

事實上，我是對成功懷著很深的恐懼。

加菲貓，你的生命只是一團無聊的大肥油。你可知道？

你貪睡是爲了逃避。你貪吃是爲了逃避…

你需要更多逃避的途徑。

哇，我心情壞透了。
（砰！）

（嘩啦！）

這次似乎很嚴重…連這一招都無法改善我的心情。

（咚）　　　　（啪噠！）　　　　現在加些胡蘿蔔增顏色。

有趣得很。
（咚）

你把食物丟到天花板上，鬧了多久
了？

哦，好一陣子了。
（啪）

好多了。

我今天要大掃除，加菲貓。你把廢物都給我丟出去，聽到了沒有？

好吧！

加菲貓，跟你談談好嗎？

喂，加菲貓！下來啊！

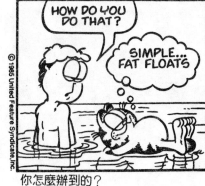

你怎麼辦到的？
....
簡單…脂肪會浮。

你有所不知，加菲貓，我是讀茶葉
算命的專家。
READ TEA LEAVES: 一種算命方式。

哦，是了，它說你會度過漫長而充
實的一生。你的主人又仁慈又慷慨
，還有你不久要去旅行。

還有問題嗎？
....
我這杯可可還我好嗎？

加菲貓，你的蛋要打嗎？
……………………………………
要啊。

既然要打蛋，你可以順便把橘子擠出汁來。

把土司烤得灰頭土臉！把煎鹹肉剁碎！
……………………………………
我真擔心他的暴力傾向。

呼嚕嚕，呼嚕，呼嚕。

行動的聲音遠比打呼嚕響亮。

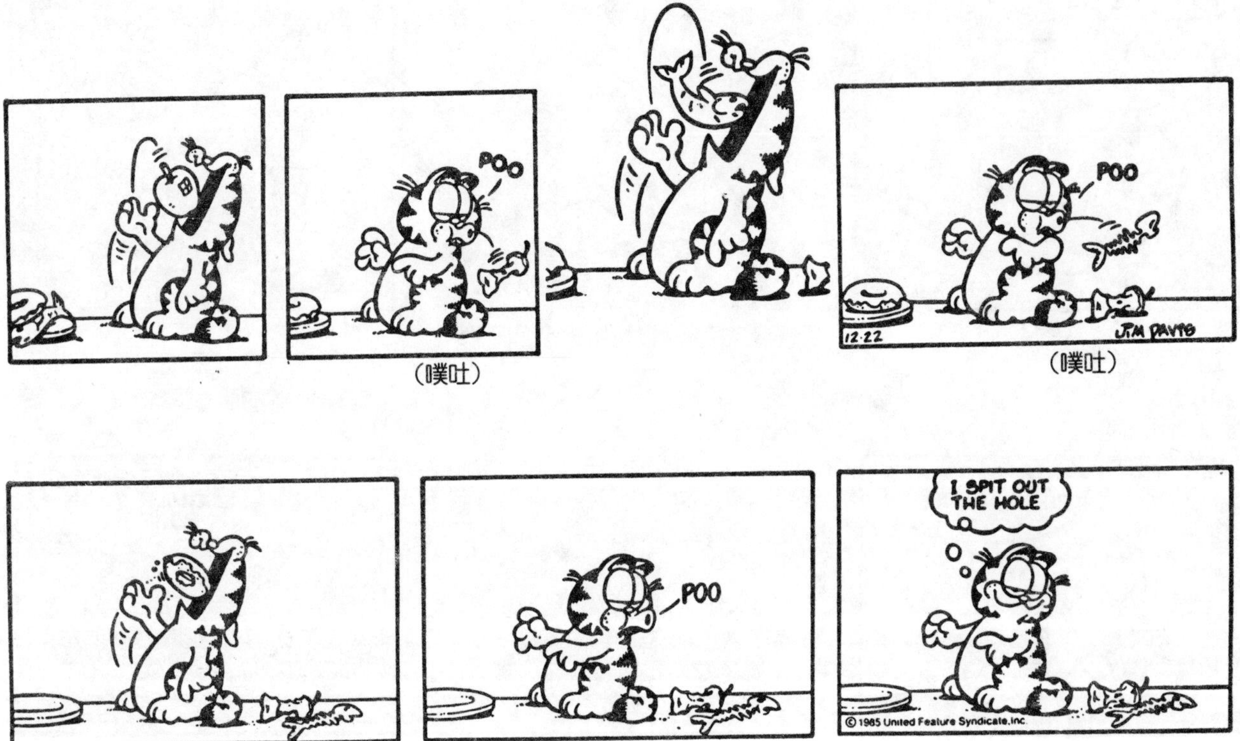

（噗吐）

（噗吐）

（噗吐）

我把甜甜圈的洞給吐掉了。

怎麼?!

我猜猜看。是裝飾耶誕樹的時候了。

你一定有心電感應。

來吧,歐弟,越早上牀耶誕節的早晨就越快來臨。

(達)

那誕夜是一年之中最長的一夜。

我想只要我們睡得著,它就會變短一點兒。

84

耶誕快樂，加菲貓。拆禮物啊，夥
計，你還等啥？

我要多玩味這一刻。

這是一年之中我最喜歡的一個早晨
。所有的人際歧異都拋在一旁，所
有的愛心都細心的包在禮物裡。我
愛耶誕節。

多愁善感夠了。禮物拿來！

多棒的耶誕節！老姜給我的禮物正
合理想…是食物。

喂，加菲貓，喜歡你的禮物嗎？

我從未見過做成漢堡狀的收音機！

喂，波基，我需要一個擁抱。

擁抱別人一定會相對的得到別人的
擁抱。

哦，糟了，有人抱我！

你好大膽子！竟敢從背後擁抱一隻
無武裝的貓！我覺得…我覺得，呃
…我覺得…

挺不錯的，老實說。

孩子們，你們想出去嗎？　　　　怎麼樣，想不想？　　　　想嗎？想嗎？真的嗎？想嗎？

給我打開那扇該死的門！

直接的方式是最好的方式。

差不多是時候了…

（啪！）

没錯，這是八點二十五分的派，準時得很。

哈，這不是會話話的磅秤RX-2嗎？你好嗎，老兄？
....
我好沮喪。

磅秤有什麼好沮喪的？

難道你喜歡天天被人踩在脚下，而且被罵作騙子嗎？
....
説得有理。

你們要出去嗎，孩子們？

要嗎？嗯？要嗎？

好啦！出去吧！
我們已經累垮了。

你拿望遠鏡幹什麼，加菲貓？
我在調查一件事。

沒錯…我猜對了。

放眼望去，一片全是無聊。

没有人相信我很嚴肅。

包括我自己在內。

這封是你的。

喂，且慢！這封信是寫給「責住戶」的！

你準備吃中飯了嗎，「責住戶」？

信？給我的!?哇！我很重要！我是大人物了。

你應該說「責住戶先生」。

早安，加菲貓。

哈囉，小朋友，要喝水水嗎？哈哈！我想你要的。

老姜跟羊齒草說的話比跟我說的還多。

哎呀！

加菲貓，你有沒有可能知道我的植物出了什麼事？

嗝。如果你有話要跟你的寶貝羊齒草說，過來對著我的肚臍眼說好了。

今天我覺得很棒！我覺得我能治癒
絕症，寫成一本暢銷書，消滅貧窮！

注意了，全世界！加貓來也！
你需要什麼嗎，加菲貓？

是啊…我需要你阻止我。

我有多重，RX-2？
你眞的想知道嗎？

未必。

你要我提示嗎？

試試看你對貓有多少了解。

有兩個看起來完全一樣的人坐在公園裡。

猜猜看誰對貓過敏。

不知道地板冷不冷。

不用問…絕對是冷的。

我喜歡弔在紗門上，我可以假裝是
隻蒼蠅或一個登山家…

（砰！砰！砰！）

或是個敲門槌。

滾開！這是我的小鳥浴盆！

糟了！水結冰了！

嗯哼！

CATS HAVE AN INCREDIBLE INNATE ABILITY TO SENSE WHEN YOU ARE NOT FEELING WELL

JPM DAVPS

貓天賦有察覺你身體不適的能力，令人難以置信。

JON, I SENSE YOU ARE NOT FEELING WELL

老姜，我覺得你身體不適。

THEY ALSO HAVE AN INCREDIBLE INNATE LACK OF SYMPATHY

© 1986 United Feature Syndicate, Inc.　1-13

牠們天賦缺乏同情心的程度也令人難以置信。

HANDS OFF, GARFIELD. I'M SAVING THAT FOR ODIE

JPM DAVPS　1-14

別碰，加菲貓，那是我留給歐弟的。

NICE TRY, GUY

© 1986 United Feature Syndicate, Inc.

勇氣可嘉，但騙不了我，小子。

今天我要賞加菲貓一點兒好吃的。

哎呀！

你不愛吃椰子屑嗎？
....
椰子屑我是愛的，但白毛蜘蛛我可
不敢領教。
ALBINO：*(n.)*先天性色素缺乏症。

貓天賦有察覺你心情不好的能力，
令人難以置信。

老姜，我覺得你心情不好。
....
瞧？

開心起來！
（砰！）

這是最後一塊蛋糕，加菲貓。

我建議我們抽籤決定由誰來吃。

我天性不愛賭博。

現在世界級的翻煎餅專家展現他的技巧。

原諒我的無知，世界級的翻煎餅專家先生，但是你不是應該先把爐子生起來嗎？

嘩！暖烘烘的地方。

雖然不及陽光，但也可將就。

吼！

養貓人第一守則：「坐下之前先看
清楚。」

加菲貓「信不信由你！」專欄。

THERE IS ENOUGH STATIC ELECTRICITY IN 20 CATS TO START A CAR

二十隻貓身上的靜電足够發動一輛汽車。

BUT, IT STILL WON'T START ON A COLD MORNING!

COME ON, GUYS. I'M LATE FOR WORK!

TAKE A HIKE, JACK

但在寒冷的早晨電力却不够用！

快啊，夥計們，我上班要遲到了！

滾開，老兄。

加菲貓「信不信由你！」專欄。

A JON ARBUCKLE CLAIMS TO OWN A CAT WHO CAN EAT 10 TIMES ITS BODY WEIGHT. TO VERIFY HIS CLAIM WE OFFERED THE CAT 270 POUNDS OF LASAGNA

有位姜某人自稱他的貓能吞下相當地體重十倍的食物，爲了求證起見，本專欄提供兩百七十磅的千層麵。

THE CAT ATE ONLY 219 POUNDS OF LASAGNA

THINGS WENT SO WELL IN REHEARSAL

那隻貓結果只吃掉兩百一十九磅千層麵。

預演時本來一切都很順利的。

加菲貓「信不信由你！」專欄。

瑞典有隻名叫尼克的貓，每天吃六隻老鼠連吃了十二年，一共是兩萬六千隻老鼠！

雖然聲名遠播，可憐的尼克却依舊單身。

尼克，你的口臭…

加菲貓「信不信由你！」專欄。

貓和狗都是一種名叫「貓狗」的動物進化而來的。牠因朝著一株不對勁的樹亂叫而絕了種…
（汪！汪！汪！）

這種樹叫做「巴巴」。

加菲貓「信不信由你！」專欄。

IN 1957, A CAT IN OREGON SAVED A DROWNING CHILD

© 1986 United Feature Syndicate, Inc.

一九五七年，俄勒岡州有隻貓救了一個快要淹死的小孩。

BUT, IT WAS UNDER THE LEGAL SIZE LIMIT, SO HE THREW THE KID BACK

但由於這小孩的個子超出法定漁獲體積規定，貓又把小孩丟回水中。
LEGAL SIZE LIMIT: 爲了保護自然界動物繁殖，立法規定漁獵所獲量的長度或重量，不符時必須放生。

加菲貓「信不信由你！」專欄。

A CAT IN LUBBOCK, TEXAS GAVE BIRTH TO 57 KITTENS

© 1986 United Feature Syndicate, Inc.

德州陸博克布有隻貓產下五十七隻小貓。

WHEN ASKED HOW SHE FELT AFTER GIVING BIRTH TO QUINSEPTUPLETS, SHE SAID:

I'LL FEEL BETTER WHEN THEY START SLEEPING THROUGH THE NIGHT

有人問起牠生產五十七胞胎的感想，她說：

孩子們開始在夜間睡覺以後，我會覺得好過一點。

看老姜在花園裡賣命的種花。

我想該出去，教那些花見識一下本加菲貓的神威。

我先踩爛一些，然後嚼爛一些。然後再把剩下的統統連根把起。

死吧，你們這些雛菊！

（砰！砰！砰！）

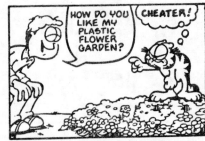

你喜歡我的塑膠花園嗎，加菲貓？

騙子！

唉！

地心引力！

何苦反抗它！

躺在這兒思考人生的意義真有趣。

還有思考解決世界苦難的無數方法⋯

還有數天花板上的裂縫。

現代人的生活方式似乎較為活躍。

不知道那是什麼樣子…

我唯一活躍的就是我的想像力。

你們人類不了解我們貓類必須面對壓力。

試想全身長滿了毛髮…

永遠生活在擔心分叉的煩惱之中。

有些人害怕的東西非常可笑。
PHOBIAS: 恐懼症。

我害怕自己的念頭開始亂轉的時候。

我怕它迷了路回不來。

我必須開始進一步體驗人生。

我必須聞途中玫瑰的芬芳。

嘿，加菲貓，要我爲你做什麼嗎？
拿一朵玫瑰花來給我。

鼾，那是什麼聲音？

噢，糟了！我忘了關電視機！

播了一整晚的電視長片！

（咔嗒！）

（砰！）

呼

我自覺像個失職的家長！

嘘，敝姓姜，我的貓需要作全身檢查…他是什麼樣的貓？

呃，他是一隻註過冊的黃色虎斑貓，有優良的血統。

事實上，他是一個長了條紋的橘黃色大肉球。

嘿，加菲貓，咱們去買披薩餅！

哦，糟了！
....
哈哈！
（砰！）

我們路上在獸醫院停一下。
....
我中了老陷阱！

我最恨看獸醫。

事實上，看獸醫倒不那麼糟。

但候診的時候却令我提心弔膽。

醫生沒在看，現在正是我開溜的好機會！

不銹鋼桌面眞驢！

嘿,大夫,我弄點東西喝妳不介意吧?

請自便。

冰箱裡的標本瓶裡該有些東西合你的意。

既然一樣是檢查,大夫,何不也替我查一下?

說「啊…」

啊…

那是啥玩意兒?

你永遠不必擔心染上肝吸蟲了。

兩支衣架和一個空衣櫥。

去吧，孩子們。

真的會生。

喂，狗，你好醜呀！喂，狗，你好蠢呀！

喂，狗，你連一九五二年出廠的老車都追不上！

叫陣得命中要害才行。

（汪！汪！汪！）
（呼！呼！吼！）

有些人喜歡晚飯吃上個老半天。

（嗖！）

加菲貓露面却是一閃即逝。
CAMEO：(n.) 電影中只有一兩個鏡頭的角色。

你可知道我最欣賞貓的哪一點？就是我們的尊嚴氣度。甚至皇室也可以向我們學習那份威風的格調。

唔，地板上這座老鐘告訴我，午餐時間到了。

該去乞討桌上的殘羹剩飯了。

我的貓並不完美，他經常隨地躺臥。

事實上，我鼓勵他多隨地躺臥。

因為每次他一動就會弄壞東西。

（抓抓抓抓）

（咔嚓！）　　　哎呀！

如果你再破壞這屋子裡任何一件東西，我就宰了你！

你晚了一步。

磨爪子可能是相當危險的事。

（抓抓抓）

（砰！）

有時家具設有陷阱。
BOOBY TRAP: 陷阱（如地雷等）。

114

全世界最大的線球，是嗎？

不知這東西是做什麼用？

糟了！

別怕，加菲貓，我會保護你，不讓那根凶惡的小線頭傷害你的。

我恨他。

啊，阿玲來了。

哈囉，加菲貓。

嗯，格格格格。

你不必故作健美狀了。

呼，謝了。

像妳這樣一個女孩到這種地方做啥？

可是這個地方不錯呀。

我就是這麼說呀…妳這樣的女孩在這種地方做啥？

116

你門牙中間的縫，阿玲…
怎麼樣？

使妳笑的時候看起來好像一台自動
販賣機。

我修正。一台「很漂亮的」自動販賣
機。

阿玲，真抱歉我嘲弄妳門牙中間的
縫。

或許這分小禮物可以彌補。
這是什麼？

牙籤！

你跳舞好像長著兩隻左腳。

我本來就有兩隻左腳。

哦，是了。

為什麼我們的感情沒有進展？
因為妳很滑溜，我又太自我中心。

可是，加菲貓，沒有人能以孤島自
居。
No man is an is land：十七世紀英國
散文家John Donne的名言，意謂人
不能離居索居。

或者，依你的狀況而言，該改成大
陸。
我的自尊會跟我一起向妳報仇的。

不知加菲貓戴上我的道具眼鏡是什麼樣子？

還有領帶、短褲和球鞋？
TENNIES: Tennis Shoes的簡稱。

早安，加菲貓。
....
齁…早。

嘿嘿嘿。
....
你笑什麼，大笨蛋？

有時我眞希望我睡著的時候是醒著的。

不知道狗食是什麼味道。
（喘喘）

哦，不！我兩眼乾澀！我的舌頭開
始腫大！我快喘不過氣來了！

（喘喘喘）
（喘喘喘）

我對食物深懷敬重之心，不致於做
出這種事。

下雨不是很棒嗎，加菲貓？

雨停的時候，大地潔淨，樹木復甦。

我也可以到車道上去踩蚯蚓。

哦，糟了！

老姜不該把他的小兔子拖鞋單獨丟
在牀底下的。

（啪啪啪）

這是私人宴會，或者人人都可以參一脚？

（啪！）

這兒的服務眞慢，而且侍者的態度很粗魯。

歐弟，你咬壞沙發眞不乖。

122

加菲貓，今天咱們有重重要差事。

我真怕知道你打算幹什麼。

我要把它扔了。

可是我們好像才得到它似的。

人生無不散的筵席。

那麼快嗎？

咱們動手吧。

你沒有良心嗎？

不要去！不要去！

它已經開始不成樣子了。

我想你說得有理。

[註]：本則漫畫刊於３月２日，確實是應該把耶誕樹移走的時候了。

它們在哪兒？

喂，加菲貓，你看見我的高爾夫球鞋嗎？
穿在我的腳上呢。

你夠了沒有？

猜我們要去哪兒？
你要去上小丑大學。

我們要去打高爾夫，走吧！

真好笑！
我這輩子從未覺得如此可恥過。

（嗖！）

讓我來。

你怎可如此!?你這個笨球！我要給你好看！

（呼嚕嚕！）

我想你揮桿太用力了。

（啪）

（砰！）

你為什麼要那樣做？
你該感謝我，你的球差一點就掉到
那個洞裡去了。

不明白老姜為何老是帶我來打高爾
夫球？

（嘩啦！）
（砰！）

對不起打破你的窗子，先生，我的
貓才剛開始學打球。
我明白了。

我最好跟去看看怎麼回事。

哎呀！　（嘩啦！）

怎麼回事？
你剛把我收集的水都放掉了，就這
麼回事。

加菲貓星相學

雙子座

5月21日～6月20日

有趣、多變、機智，善於推理和討人喜歡，你很容易恨這種人。

獅子座

7月23日～8月22日

富創造力、熱忱、意志堅決，是眾人注目的焦點，派頭十足。

天秤座

9月23日～10月22日

過一天算一天，愛看愛情小說，以爲人生很公平，真是天生蠢才。

巨蟹座

6月21日～7月22日

敏感、脆弱、戀家的貓，重視家庭生活，不喜到處流浪。

處女座

8月23日～9月22日

擅長吹毛求疵，斤斤計較，説穿了就是杞人憂天那一型。

天蠍座

10月23日～11月21日

精力旺盛而自我中心的傢伙，頗具個人魅力，能吸引很多朋友用臭雞蛋砸他。

ACCORDING TO garfield

人馬座

11月22日～12月21日
愛現，思想開放，友善、誠懇，但
有時不大負責任，也有點笨拙。
不過，哪有人是十全十美的呢？

水瓶座

1月20日～2月18日
喜歡革命、創新點子很多。不
遵循傳統，千萬別借錢給他們。

雙魚座

2月19日～3月20日
內向，感情豐富，直覺力很強
，他們通常不大會賺錢。

金牛座

4月20日～5月20日
喜歡享受，擁有美好的外表，
魅力、熱情，而且愛吹牛。

山羊座

12月22日～1月19日
野心勃勃，講求現實的人，他
們往往能爬到高位，因為這個
星座的人不喜歡往下走。

牡羊座

3月21日～4月19日
勇敢、直率，不拐彎抹角，可
惜同情心也不太多。